Honey Tanberry

Lunatique, égoïste, souvent triste... elle adore les drames, mais elle sait aussi se montrer intelligente, charmante, organisée et très douce.
14 ans

Née à Kitnor
Mère : Charlotte
Père : Greg

Coco Tanberry

Chipie, sympa et pleine d'énergie elle adore l'aventure et la nature.
11 ans

Née à Kitnor
Mère : Charlotte
Père : Greg

Summer Tanberry

Calme, sûre d'elle, jolie et populaire elle prend la danse très au sérieux.
12 ans

Soeur jumelle de Skye
Née à Kitnor
Mère : Charlotte
Père : Greg

Raymond Sébastien

Cœur guimauve

les filles au chocolat

D'après le roman de Cathy Cassidy

Tu as aimé Les Filles au chocolat

Rejoins le club Miss Jungle !

Des informations exclusives, des surprises toutes les semaines, des cadeaux à gagner, un concours chaque mois, des sondages…

www.miss-jungle.com

D'après le roman intitulé Les Filles au Chocolat : Coeur Guimauve de Cathy Cassidy, publié en 2012 aux Editions Nathan, traduit par Anne Guitton.
Ce titre a été publié pour la première fois en 2011 en anglais par Puffin Books (The Penguin Group, London, England) sous le titre The Chocolate Box Girls : Marshmallow Skye. © 2011 par Cathy Cassidy

Adaptation BD : Véronique Grisseaux
Story-board : Augustin Rogeret
Couleurs : Léonard Olivier et Drac
Dessin et création du design des personnages : Raymond Sébastien
Couleurs et dessin de la couverture : Raymond Sébastien

Yellowhale s.r.l. Creative Studio
Artwork cover : Anna Merli
Artwork comic pages : Anna Merli and Claudia & Marco Forcelloni
Ink work : Raffaella Seccia and Michela Frare
Lettering : Maryam Funicelli

ISBN : 978-2822-21186-4

Troisième édition - Juin 2016

Imprimé en France Par PPO graphic. Dépôt légal : septembre 2015

JE NE CROIS PAS AUX FANTÔMES. JE CROIS AUX PARQUETS QUI CRAQUENT, AUX HURLEMENTS DU VENT DANS LA CHARPENTE. ÇA FAIT PARTIE DU JEU QUAND ON VIT DANS UNE GRANDE MAISON AUSSI VIEILLE QUE TANGLEWOOD.
SKYE, TU NE TROUVES PAS QUE NOTRE DÉGUISEMENT EST RACCORD AVEC TANGLEWOOD ?
SI ! NOTRE MAISON RESSEMBLE UN PEU À UNE MAISON HANTÉE... MAIS DES FANTÔMES, J'EN AI JAMAIS VU ICI... À PART NOUS CE SOIR !
LES SEULS FANTÔMES AUXQUELS JE CROIS, CE SONT CEUX D'HALLOWEEN, DES PETITS MONSTRES AVEC UN DRAP BLANC SUR LA TÊTE ET UN SAC DE BONBONS À LA MAIN...
SKYE ! SUMMER...
DÉPÊCHEZ-VOUS, CHERRY NOUS ATTEND EN BAS, ON VA RATER LA FÊTE !
TU VEUX PARLER DE PETITS MONSTRES COMME COCO !
HI ! HI !
ON ARRIVE !
ON N'EST PAS JUMELLES POUR RIEN... ON DIT ET FAIT TOUT PAREIL... ENFIN, PRESQUE !

SUMMER EST VENUE AU MONDE
LA PREMIÈRE, QUATRE MINUTES
AVANT MOI, ÉBLOUISSANTE, CURIEUSE
ET DÉTERMINÉE. ET J'AI SUIVI,
TOUTE ROUGE ET HURLANTE.

SI SUMMER SOURIAIT, JE SOURIAIS,
SI ELLE PLEURAIT, JE PLEURAIS...

ON FAISAIT DE LA DANSE TOUTES LES DEUX.
SUMMER ADORAIT ÇA, C'ÉTAIT SA PASSION...
JE CROYAIS QUE C'ÉTAIT LA MIENNE AUSSI...

... EN FAIT JE N'ÉTAIS
QU'UN MIROIR QUI REFLÉTAIT
L'IMAGE DE MA SŒUR
JUMELLE.

TU VIENS ?
VAS-Y,
J'ARRIVE !

L'ANNÉE OÙ PAPA A QUITTÉ MAMAN, J'EN
AI EU MARRE DE FAIRE SEMBLANT, JE
N'AIMAIS PAS LA DANSE, J'AI ARRÊTÉ.
SUMMER N'A PAS COMPRIS. DE «NOUS»
JE SUIS PASSÉE À «TOI» ET «MOI».
ÇA M'A FAIT DU BIEN !

???

GOÛTEZ-MOI ÇA... CHOCOLATS D'HALLOWEEN !
MIAM !

JE L'ADORE, MA NOUVELLE SŒUR CHERRY, ELLE EST TROP COOL !

ON VA DEVENIR UNE VRAIE FAMILLE AU MOIS DE JUIN, QUAND MAMAN ET PADDY VONT SE MARIER !

TROP BONS, TES CHOCOLATS, PADDY !
P'PA, ON PEUT EN AVOIR D'AUTRES ?
QUELLES GOURMANDES !

HONEY N'A TOUJOURS PAS DIGÉRÉ QUE SHAY, SON EX PETIT-AMI, SOIT MAINTENANT L'AMOUREUX DE CHERRY... ET SURTOUT QUE PAPA SOIT PARTI EN AUSTRALIE. EN FAIT, ELLE N'A JAMAIS SUPPORTÉ LE DIVORCE DES PARENTS...

QU'EST-CE QUE TU FICHES ICI, SHAY ?
HEU... DÉSOLÉ, J'AI EU TORT DE VENIR. J'AI CRU QU'IL ÉTAIT TEMPS D'ENTERRER LA HACHE DE GUERRE !

HONEY, TU VAS À LA FÊTE D'HALLOWEEN EN VILLE ?
NON, TROP NAZE... J'VAIS AVEC ALEX AU CAFÉ, IL M'ATTEND AVEC SA MOTO !
EN MOTO ? – MAIS... MAIS TU N'AS QUE QUATORZE ANS... HONEYYYYY !

VLAN

CANDY
HALLOWEEN

C'EST NUL CETTE FÊTE D'HALLOWEEN. MOYENNE D'ÂGE SIX ANS !
ON VA À LA ROULOTTE, ON POURRA SE RACONTER DES HISTOIRES DE FANTÔMES !
OH ! OUI ! COOL !

SLOUPFFF ! SLOUPFF !
VOUS AVEZ ENTENDU ? ON DIRAIT DES... DES PAS DE FANTÔMES !

LES FANTÔMES N'ONT PAS DE PIEDS ! ILS FLOTTENT ET PASSENT À TRAVERS LES GENS, QUI SENTENT JUSTE UN FRISSON GLACÉ DANS LE DOS !

TU AS TROP D'IMAGINATION, CHERRY !

ON RENTRE À LA MAISON POUR SE RACONTER DES HISTOIRES QUI FONT PEUR !
J'PEUX VENIR AVEC VOUS ? JE CONNAIS PLEIN D'HISTOIRES SUPER FLIPPANTES !

HOUUUUUUUU !
AAAARGH !
HIIIIIIII !

VOUS ALLEZ OÙ ?
C'EST QUI LE ZOMBIE ?
TOMMY ANDERSON, UN CHAMPION DES FARCES NULLES. IL EST AU COLLÈGE AVEC NOUS. ON LE CONNAÎT DEPUIS LA MATERNELLE.

HOU
HOUUU !

DES CONTREBANDIERS MORTS HANTENT LA CÔTE. IL Y EN A MÊME UN QUI PORTE SA TÊTE SOUS LE BRAS... AH ! AH ! AAAH !
GLOUPS !

EH BIEN, MOI JE VAIS VOUS RACONTER LA LÉGENDE DE TANGLEWOOD. C'EST MAMIE KATE QUI NOUS LA RACONTAIT !
OH ! OUI, L'HISTOIRE DE CLARA !
CLARA ?

CLARA TRAVERS VIVAIT ICI À TANGLEWOOD DANS LES ANNÉES 1920. C'ÉTAIT UNE TANTE OU UNE COUSINE DE MAMIE KATE. CLARA AVAIT DIX-SEPT ANS, ELLE ÉTAIT FIANCÉE ET DEVAIT SE MARIER À UN HOMME TRÈS RICHE, PLUS VIEUX QU'ELLE... MAIS CLARA NE L'AIMAIT PAS !

ELLE ÉTAIT TOMBÉE AMOUREUSE D'UN GITAN, UN DES TSIGANES QUI CAMPAIENT PARFOIS DANS LES CHAMPS PRÈS DE TANGLEWOOD. ILS COMPTAIENT S'ENFUIR ENSEMBLE, MAIS LES PARENTS DE CLARA DÉCOUVRIRENT LEUR PROJET. FURIEUX, LE PÈRE DE CLARA CHASSA LES GITANS.

C'EST TROP TRISTE !
ATTENDS, C'EST PAS FINI !

QUAND CLARA VIT QUE LES TSIGANES ÉTAIENT PARTIS, ELLE EUT LE CŒUR BRISÉ. LA VEILLE DE SON MARIAGE, ELLE LAISSA SES VÊTEMENTS SUR LA PLAGE ET NAGEA VERS LE LARGE...

... ON NE LA REVIT JAMAIS !
BOUH !
ON DIT QUE SON FANTÔME ERRE ENCORE DANS LES BOIS, ELLE PLEURE ET CHERCHE SON AMOUR PERDU !
AHHHH !

C'EST UNE HISTOIRE TRISTE. ON NE L'A JAMAIS RETROUVÉE, MAIS UNE CHOSE EST SÛRE, IL N'Y A PAS DE FANTÔME ICI !

LE LENDEMAIN MATIN.
C'EST QUOI TOUT CE BAZAR ?

PAPA ET CHARLOTTE ONT COMMENCÉ À VIDER LE GRENIER POUR Y FAIRE MA CHAMBRE. L'HIVER ARRIVE ET IL VA FAIRE FROID DANS LA ROULOTTE !

JE NE SAIS PAS SI VOUS VOUS SOUVENEZ DE CETTE HISTOIRE QUE RACONTAIT VOTRE GRAND-MÈRE...
... LA DISPARITION DE CLARA TRAVERS. JE CROIS QUE CES LETTRES LUI APPARTENAIENT !

M'MAN, JE PEUX AVOIR CETTE CAGE ?
ET MOI LE VIOLON ? ST'EUPLAÎT !
BON, OK ! À CONDITION QUE CHERRY ET SKYE CHOISISSENT AUSSI QUELQUE CHOSE !

MAMAN, TU CROIS QUE CES VÊTEMENTS ONT APPARTENU À CLARA TRAVERS?
OUI !
MERCI CHARLOTTE, MAIS JE N'AIME PAS LES VIEILLES CHOSES !

SUMMER, TU M'AIDES À MONTER LA MALLE DE CLARA DANS LA CHAMBRE ?
OUI, SI TU VEUX...

SKYE, TU ADORES LES VIEUX VÊTEMENTS, JE PENSE QUE CLARA AURAIT ÉTÉ HEUREUSE DE TE LES DONNER ! ET PUIS HONEY N'EN VOUDRA PAS, ELLE BOUDE ENCORE DANS SA CHAMBRE !

QUI VEUT GOÛTER À MA GUIMAUVE ?
AH ! NON, LA GUIMAUVE C'EST TOUT SAUF FADE ! C'EST DOUX, LÉGER... COMME UN PETIT MORCEAU DE PARADIS !
J'AIME PAS ! C'EST FADE !

CLARA DEVAIT ÊTRE PETITE ET MINCE, PARCE QUE SES AFFAIRES SONT JUSTE À MA TAILLE !
C'EST JUSTE VIEUX ET HORRIBLE !

NON, C'EST COMME TA CAGE, C'EST VINTAGE !
C'EST PAS PAREIL ! TOI, TU PORTES LE MANTEAU DE CLARA... ELLE EST MORTE, QUAND MÊME ! ÇA CRAINT !

S'IL TE PLAÎT, SKYE, ENLÈVE ÇA !
QUOI ? TU AS PEUR QUE CLARA VIENNE ME HANTER ? ALLEZ, ARRÊTE TES BÊTISES ! EN PLUS, JE NE CROIS PAS AUX FANTÔMES !

EN PLEIN MILIEU DE LA NUIT.
SUMMER... JE VIENS DE FAIRE UN DRÔLE DE RÊVE !
ROOH ! LAISSE-MOI DORMIR !

... J'ÉTAIS DANS LE JARDIN, J'OUVRAIS LE PETIT PORTAIL, L'AIR SENTAIT LA GUIMAUVE... JE PORTAIS UNE ROBE EN VELOURS BLEU, LES CHAUSSURES DE CLARA...
JE MARCHAIS DANS LA CAMPAGNE... JUSQU'À DEUX ROULOTTES RASSEMBLÉES DANS UNE CLAIRIÈRE...

... ET UN GARÇON S'EST APPROCHÉ DE MOI... IL ÉTAIT GRAND, BRONZÉ AVEC DES CHEVEUX BRUNS QUI LUI TOMBAIENT SUR LE VISAGE...
ET DES YEUX BLEUS... IL S'APPELAIT FINN, JE CROIS... IL A PRIS MA MAIN... ET JE ME SUIS RÉVEILLÉE !

OH ? J'AI DORMI AVEC LE JUPON DE CLARA !

LE LENDEMAIN AU COURS D'HISTOIRE.
JOURNÉE GAG ! ON VA SE MARRER !
V'LÀ LE PROF D'HISTOIRE !
OUILLE ! MAIS QU'EST-CE QUE...
VOUS SAVEZ QUOI, MES CHERS ÉLÈVES ? L'HISTOIRE NOUS APPREND À NOUS ATTENDRE AU PIRE !
L'HISTOIRE NE VOUS A PAS APPRIS À PRÉVOIR ÇA MONSIEUR !
TOMMY ANDERSON, CE SAC EST À TOI ?
OUI, MONSIEUR ! JE ME DEMANDE BIEN COMMENT IL EST ARRIVÉ LÀ ?
INSOLENT !
OUAH ! JOLI COUP MONSIEUR !
CLANG

AÏE !
TOMMY, TU AS VU CE QUE TU AS FAIT AVEC TES BLAGUES POURRIES ?
OUAIS, TU CRAINS TOMMY !
J'AI RIEN FAIT, C'EST PAS MOI QUI AI CASSÉ LA VITRE !

JE VIENS DE RECEVOIR ÇA SUR LA TÊTE !
QUI A FAIT ÇA ?
C'EST MOI, MONSIEUR LE PROVISEUR ! JE FAISAIS L'ANDOUILLE ET M. MERLIN M'A DIT D'ARRÊTER ET... C'ÉTAIT UN ACCIDENT. C'EST MOI LE COUPABLE !

TOMMY ANDERSON, DANS MON BUREAU, IMMÉDIATEMENT !

L'HISTOIRE N'EST PAS TOUJOURS AUSSI SIMPLE QU'ELLE EN A L'AIR ET ON A SOUVENT TENDANCE À MAL L'INTERPRÉTER...

... IL EST IMPORTANT DE RASSEMBLER TOUS LES ÉLÉMENTS POUR BIEN COMPRENDRE.
JE VAIS ALLER RECTIFIER LES CHOSES, JE NE PEUX PAS LAISSER TOMMY SE DÉNONCER À MA PLACE !

CE QU'IL VIENT DE DIRE ME FAIT PENSER À CLARA TRAVERS. JE DEVRAIS CHERCHER DES INDICES POUR RECONSTITUER SON HISTOIRE... MON RÊVE SEMBLE TELLEMENT RÉEL ! ET SI J'ÉTAIS POSSÉDÉE PAR CLARA ?

PLUS TARD À LA CANTINE.
LE PROF D'HISTOIRE A ÉTÉ GÉNIAL ! IL A TOUT RACONTÉ AU PROVISEUR. J'AURAIS PU ÊTRE RENVOYÉ, JE SUIS JUSTE COLLÉ 1 HEURE APRÈS LES COURS PENDANT UNE SEMAINE.

JE PENSAIS QUE TU ÉTAIS VÉGÉTARIEN VU QUE TES PARENTS TIENNENT LE MAGASIN BIO !
T'AS PRIS UN STEACK-FRITES ?

C'EST PAS PARCE QUE MES PARENTS SONT DE VIEUX HIPPIES, QU'ILS SENTENT LE PATCHOULI ET QU'ILS PORTENT DES PULLS TRICOTÉS MAIN, QU'ON NE MANGE QUE DE LA SALADE !

ON Y VA. ON A UN COURS DE MATHS !
SKYE, RESTE UN PEU. J'AI UN TRUC À TE DIRE !
OH ! IL M'AGACE... QU'EST-CE QU'IL ME VEUT ?
J'AI BESOIN DE TES CONSEILS. JE SUIS AMOUREUX.
ON PEUT SE VOIR SAMEDI POUR EN PARLER. AU CHAPELIER FOU ?
PITIÉ... PAS ÇA !
NON, PAS POSSIBLE ! ENFIN, JE SUIS FLATTÉE... MAIS CE N'EST PAS RÉCIPROQUE !
IL SENT LE DÉODORANT ET LA SOUPE DE LA CANTINE. PAS TERRIBLE, COMME MÉLANGE !
MAIS SKYE, CE N'EST PAS DE TOI QUE JE SUIS AMOUREUX !
ON EST JUSTE AMIS. J'AI BESOIN DE TES CONSEILS. ON SE VOIT SAMEDI ALORS ?
SAMEDI JE NE PEUX PAS. ON FAIT UN FEU DE JOIE SUR LA PLAGE EN FAMILLE !
ALORS... DIMANCHE ?
HEU. JE VAIS Y RÉFLÉCHIR !

LE SAMEDI SOIR...

IL Y A UN BRUIT QUI COURT À L'ÉCOLE COMME QUOI TOMMY CRAQUE SUR TOI !
N'IMPORTE QUOI. IL CRAQUE SUR QUELQU'UN D'AUTRE !

IL VEUT ME VOIR POUR ME DEMANDER DES CONSEILS. IL EST AMOUREUX !
OUAIS, OUAIS... C'EST ÇA !

ÇA ME FAIT PLAISIR QUE TU SOIS LÀ, HONEY !
MAMAN A TELLEMENT INSISTÉ, AVEC SES GRANDS DISCOURS SUR LA FAMILLE ET SUR PADDY ET CHERRY QUI MÉRITENT QU'ON LEUR DONNE UNE CHANCE...

CHERRY FAIT LA FILLE COOL, MAIS ELLE CACHE BIEN SON JEU. ELLE M'A PRIS SHAY, FAUT PAS L'OUBLIER ! POUR MOI, ELLE NE SERA JAMAIS MA SŒUR ET PADDY NE REMPLACERA JAMAIS PAPA !

CHERRY T'A BLESSÉE, MAIS CE N'ÉTAIT PAS SON INTENTION. SOUVIENS-TOI, TU NE SORTAIS PLUS AVEC SHAY, TU ÉTAIS TELLEMENT DÉSAGRÉABLE AVEC LUI !

ON PEUT DIRE QU'ELLE VOUS A BIEN EMBOBINÉS !
TU DEVRAIS APPRENDRE À LA CONNAÎTRE !

QU'EST-CE QUE TU AS DIT À HONEY ? JE L'AI VUE PARTIR EN PLEURANT. T'ES TROP NULLE !
JE LUI AI JUSTE DIT QU'ELLE DEVRAIT ESSAYER DE DONNER UNE CHANCE À CHERRY !

C'ÉTAIT COOL HIER, QUAND ON A DANSÉ PRÈS DU FEU !
DE QUOI EST-CE QUE TU PARLES ?

MAIS... ON N'A PAS DANSÉ AUTOUR DU FEU HIER ?
MAIS NON !

POURTANT ÇA SEMBLAIT SI RÉEL... J'AI DANSÉ PRÈS DU FEU AVEC CE GARÇON... FINN ?

J'AI... J'AI... RÊVÉ DE CLARA DES GITANS... ENFIN, C'ÉTAIT MOI À LA PLACE DE CLARA... !
TU COMPRENDS MAINTENANT POURQUOI JE VEUX QUE TU JETTES CES VIEUX VÊTEMENTS ? TU TE PRENDS POUR CETTE FILLE... OUBLIE TOUT ÇA OK !

J'AI PAS ENVIE D'OUBLIER L'HISTOIRE DE CLARA !

BON, J'AI MON COURS DE DANSE... SALUT SŒURETTE !
S'LUT !

CES LETTRES CONTIENNENT PEUT-ÊTRE DES RÉPONSES À MES QUESTIONS. JE LES LIRAI PLUS TARD. FAUT QUE J'AIDE MAMAN À LA CUISINE !

LE LUNDI MATIN.
TU DEVRAIS SORTIR AVEC TOMMY. ON VOIT BIEN QU'IL T'AIME !
MAIS LÂCHEZ-MOI. IL NE ME PLAÎT PAS. IL EN AIME UNE AUTRE !

TU VAS FINIR VIEILLE FILLE TOUTE RATATINÉE ET SURTOUT PÉRIMÉE SI TU ATTENDS TROP LONGTEMPS POUR SORTIR AVEC UN GARÇON !
LE GARÇON QUE J'AIME S'APPELLE FINN... MAIS IL N'EST PAS RÉEL !

VOUS SAVEZ QUE SUMMER VA AVOIR LE RÔLE PRINCIPAL DE SON ÉCOLE DE DANSE, POUR LE SPECTACLE DE NOËL ?
ELLE EST DOUÉE POUR LA DANSE, TA SOEUR !

HUM ! HUM... TON AMOUREUX ARRIVE !
OH ! ÇA VA LES FILLES, ÇA DEVIENT LOURD !
ON TE LAISSE ! HI ! HI !

SKYE, FAUT VRAIMENT QUE JE TE PARLE, ON SE VOIT SAMEDI AU CHAPELIER FOU ?
BON, OK !

LE CHAPELIER FOU

SAMEDI APRÈS-MIDI.
BON, SKYE, J'AI BESOIN DE TOI !

TU ES UNE FILLE, ALORS TU VAS POUVOIR ME DIRE CE QUI NE VA PAS CHEZ MOI... HEU... JE VOUDRAIS SAVOIR COMMENT FAIRE POUR QUE LES FILLES ME TROUVENT IRRÉSISTIBLE !

PFFFFFFF !

QUOI ? QU'EST-CE QU'IL Y A DE DRÔLE ?
RIEN, RIEN, JE T'ASSURE. JE NE RIAIS PAS, J'AI JUSTE AVALÉ DE TRAVERS...

MOUAIS. TU VOIS, C'EST ÇA MON PROBLÈME. JE CRAQUE DEPUIS LONGTEMPS SUR UNE FILLE QUI ME PREND POUR UN IDIOT. J'EN AI MARRE !

POUR MOI LES FILLES RESTENT MYSTÉRIEUSES. JE VOUDRAIS EN APPRENDRE UN PEU PLUS SUR CE QUI LEUR PLAÎT...
OK, JE VAIS TE DONNER DES CONSEILS D'AMIE !

BON D'ABORD, QU'EST-CE QUI CLOCHE CHEZ MOI ?
TU VAS PRENDRE DES NOTES ? SÉRIEUX ?

ALORS, LES CHEVEUX, POUR COMMENCER. LAISSE TOMBER LE GEL. TU RESSEMBLES À UN FOU !
MAIS... J'AI VU ÇA DANS UN MAGAZINE DE MODE !

C'EST RATÉ ! ON DIRAIT QUE TU AS ÉBOURIFFÉ TES CHEVEUX DANS TOUS LES SENS AVANT DE TE BATTRE AVEC UN TUBE DE GEL. CROIS-MOI, C'EST PAS TERRIBLE !
OK ! AUTRE CHOSE ?

ARRÊTE DE FAIRE LE PITRE EN COURS. C'EST IMPORTANT, SINON TU PASSES POUR UN GAMIN. TU AS TREIZE ANS, LES FARCES, C'EST PLUS DE TON ÂGE !
MAIS... JE CROYAIS QUE LES FILLES AIMAIENT LES GARÇONS MARRANTS...

TOC
TOC

COCO, FICHE LE CAMP !
TA SŒUR SE MOQUE DE TOI ?

ET SUMMER, ELLE SE MOQUE DE TOI AUSSI ?

SUMMER ? ELLE TROUVE TRÈS DRÔLE QUE TU ME TOURNES AUTOUR. ELLE PENSE QUE TU ES AMOUREUX DE MOI !

ELLE EST PEUT-ÊTRE JALOUSE ?

LA FILLE DONT TOMMY EST AMOUREUX, C'EST... SUMMER !

VOUS ÊTES CÉLÈBRES, LES FILLES !
YEAH ! C'EST L'ARTICLE SUR LA FÊTE DU CHOCOLAT DE CET ÉTÉ !

OH ! IL Y A LA PHOTO DE NOUS EN FÉES DU CHOCOLAT !
LA BOÎTE de CHOCOLAT
ON EST SUPER. ON DIRAIT DE VRAIES SŒURS !

MAIS ON EST DES VRAIES SŒURS, CHERRY !

ILS PRÉCISENT QUE TOUS NOS CHOCOLATS SONT PRÉPARÉS DE FAÇON ARTISANALE ET QUE LES BOÎTES SONT PEINTES À LA MAIN...

... ET QUE MES CHOCOLATS SONT DÉLICIEUX ! WAOUH !
ÇA VA NOUS FAIRE DE LA PUBLICITÉ !

COOL... VU QU'EN CE MOMENT PADDY ET MAMAN ONT QUELQUES PETITS PROBLÈMES D'ARGENT ...

... LE BED & BREAKFAST NE MARCHE PAS TROP EN HIVER !

ALLEZ HOP ! LES FILLES VOUS AVEZ COURS, VOUS ALLEZ ÊTRE EN RETARD, ET MOI J'AI LE PETIT-DÉJEUNER À PRÉPARER POUR LES CLIENTS QUI SONT ARRIVÉS HIER !
OUAIS... LES DEUX SEULS CLIENTS DU MOMENT !

AU LYCÉE.
C'EST OFFICIEL, HONEY A PLAQUÉ ALEX, SON PETIT-AMI...
AH ! JE NE SAVAIS PAS ! ON NE LA VOIT QUASIMENT PLUS À LA MAISON...

... ELLE PASSE TELLEMENT DE TEMPS DEHORS QU'ON POURRAIT PRESQUE LA PRENDRE POUR UNE CLIENTE DU BED & BREAKFAST !

HÉ, LES FILLES AU CHOCOLAT... CANON L'ARTICLE SUR VOUS !
MERCI, MILLIE ! OUAIS, C'EST COOL !

MA MÈRE VIENT DE COMMANDER CINQ BOÎTES DE CHOCOLATS POUR NOËL !
OH ! MERCI ! PADDY VA DEVOIR ASSURER !

J'AI ENTENDU EN PASSANT DEVANT LA SALLE DES PROFS QUE M. MERLIN A COMMANDÉ UNE BOÎTE POUR SA FIANCÉE !
... IL A UNE FIANCÉE, LE PROF D'HISTOIRE ?

BEN OUAIS... TU VOIS SKYE, TOUT LE MONDE A UN AMOUREUX ! SAUF TOI !

SI, J'EN AI UN... MAIS DANS MES RÊVES !

HÉ HO ! SKYE... RÉVEILLE-TOI ! T'AS PAS ENTENDU LE RÉVEIL ?
HEIN ? QUOI ?

À FORCE DE GARDER MES RÊVES POUR MOI, J'AI TROP DE MAL À REVENIR AU MONDE RÉEL !

SUMMER ! LES VIEILLES LETTRES QUI ÉTAIENT DANS LA MALLE, TU NE LES AS PAS VUES ?
QUELLES LETTRES ?

TU SAIS, LE PAQUET DE LETTRES DE CLARA TRAVERS, JE NE LES TROUVE PLUS !

ÉCOUTE, JE NE SAIS PAS OÙ ELLES SONT, J'Y AI PAS TOUCHÉ ! POURQUOI JE M'INTÉRESSERAIS À DE VIEILLES LETTRES FLIPPANTES ?
JE NE T'ACCUSE PAS, C'EST JUSTE QUE ÇA M'EMBÊTE DE LES AVOIR PERDUES !

PLUS TARD DANS LA CUISINE.
APRÈS LES COURS, LES FILLES, VOUS VIENDREZ NOUS DONNER UN COUP DE MAIN POUR REMPLIR LES BOÎTES DE CHOCOLATS... GRÂCE À L'ARTICLE, LES COMMANDES N'ARRÊTENT PAS !
SÛREMENT PAS ! C'EST DE L'ESCLAVAGE !

HONEY, TU ES DE PLUS EN PLUS DÉSAGRÉABLE !
C'EST VRAI CE QUE DIT MAMAN. AVANT TU N'ÉTAIS PAS COMME ÇA. JE T'ADMIRAIS. JE TROUVAIS QUE TU ÉTAIS LA SŒUR LA PLUS COOL DU MONDE...

... MAIS J'AVAIS TORT. TU ES TOUT SAUF COOL... TU ES ÉGOÏSTE, MÉPRISANTE ET CRUELLE !

QU'EST-CE QUI T'A PRIS DE LUI BALANCER TOUT ÇA ? ÇA VA PAS ?
C'EST QUE... ELLE N'AIDE JAMAIS. ELLE N'EST JAMAIS LÀ...

PEUT-ÊTRE QUE CETTE FOIS, ELLE AURA COMPRIS ? JE NE SAIS PAS COMMENT M'Y PRENDRE AVEC HONEY. JE DEVRAIS ME MONTRER PLUS SÉVÈRE AVEC ELLE... POUR SON BIEN.

QUI PEUT PASSER À LA POSTE APRÈS LES COURS, POUR ENVOYER CES TROIS COLIS ?
ENCORE DES COMMANDES DE CHOCOLATS ? WAOW !
MOI J'PEUX PAS, J'AI MON COURS DE DANSE !
MOI, JE VEUX BIEN !

PLUS TARD DANS L'APRÈS-MIDI.
APRÈS CE QUE J'AI DIT À HONEY CE MATIN, J'AI L'IMPRESSION QUE SUMMER M'EN VEUT !
POSTE

SKYE, JE SENS DE LA TRISTESSE EN TOI AUJOURD'HUI !
BONJOUR MADAME LEE, OUI, JE NE SUIS PAS TRÈS EN FORME !

TU SAIS QUE J'AI UN DON, MA MÈRE ÉTAIT À MOITIÉ GITANE ET ELLE M'A APPRIS À LIRE L'AVENIR... DONNE-MOI TA MAIN !

JE VOIS... DE L'AMOUR, UN GARÇON !
ÇA M'ÉTONNERAIT, LES GARÇONS NE M'INTÉRESSENT PAS VRAIMENT !

JE VOIS... QU'IL PORTE UN FOULARD... ROUGE !
C'EST ... C'EST FINN QU'ELLE A VU ???

SI MME LEE DIT VRAI, COMMENT EST-CE QU'UN GARÇON DU PASSÉ PEUT BIEN AVOIR UNE PLACE DANS MON AVENIR ?
Libr

SALUT SKYE !

SKYE ! ÇA VA ? ÇA TE DIRAIT DE VENIR AU PARC AVEC MOI ?
SALUT TOMMY... BEN, HEU, IL GÈLE ET IL VA BIENTÔT FAIRE NUIT !

NOËL C'EST DANS UN MOIS... TU VEUX QUOI COMME CADEAU ?
GERIE
EN FAIT, CE QUI T'INTÉRESSE, C'EST CE QUE SUMMER VEUT POUR NOËL, HEIN ?

S'IL SAVAIT QUE SUMMER LE TROUVE AUSSI INSIGNIFIANT QU'UN INSECTE QUI BOURDONNE PRÈS DE SES OREILLES. LE GENRE D'INSECTE QU'ON ÉCRASE D'UN COUP DE JOURNAL !

TU SAIS, SUMMER NE S'ATTEND PAS À RECEVOIR DE CADEAU DE TA PART !
MAIS HEU, JE COMPTAIS DÉPOSER UN CADEAU DANS SON CASIER SANS MOT.. COMME ÇA ELLE SAURA QU'ELLE A UN ADMIRATEUR SECRET !

ÇA... TU CROIS QUE ÇA LUI PLAIRA ?
HEU... C'EST PARFAIT ! ET T'INQUIÈTE, JE NE DIRAI RIEN !

IL FAUT QUE JE TE LAISSE, JE VAIS ACHETER UN ÉCLAIR AU CHOCOLAT POUR HONEY... J'AI ÉTÉ UN PEU DURE AVEC ELLE CE MATIN !

T'ES VRAIMENT UNE BONNE COPINE ! T'AS VU, J'AI SUIVI TES CONSEILS SUR MES CHEVEUX . JE NE METS PLUS DE GEL !
OUAIS, J'AI VU !

PLUS TARD À L'HEURE DU DÎNER.
JE SUIS DÉSOLÉE D'AVOIR ÉTÉ DÉSAGRÉABLE AVEC TOI. J'ÉTAIS JUSTE ÉTONNÉE, PARCE QUE D'HABITUDE TU ES PLUTÔT CONCILIANTE ! JE NE TE RECONNAIS PLUS !
SUMMER, JE ME SENS MAL. JE REGRETTE D'AVOIR DIT DES TRUCS PAS SYMPAS À HONEY CE MATIN, ET... JE DÉTESTE AUSSI QU'ON SE DISPUTE TOUTES LES DEUX !

ENFIN, DEPUIS QUELQUE TEMPS, TU TIENS TÊTE À HONEY, TU DIS CE QUE TU PENSES !
CLARA, ELLE AUSSI, N'ÉTAIT PAS DU GENRE À SE TAIRE !

SUMMER A TOUJOURS EU DU MAL AVEC L'IDÉE QUE DEUX SŒURS JUMELLES PUISSENT AVOIR DES AVIS ET DES SENTIMENTS DIFFÉRENTS !

SKYE... JE ME DEMANDAIS... EST-CE QUE TOUT VA BIEN ENTRE TA COPINE MILLIE ET TOI ?
POURQUOI TU ME DEMANDES ÇA ?

BEN TU SAIS QUE JE SUIS PROCHE DE TINA ET TOI DE MILLIE, ET DEPUIS QUELQUE TEMPS, MILLIE EST TOUJOURS FOURRÉE AVEC TINA ET MOI !

TU SAIS, MILLIE T'A TOUJOURS ADORÉE UN PEU COMME SI TU ÉTAIS UNE IDOLE INACCESSIBLE !
N'IMPORTE QUOI !

J'AI DE PLUS EN PLUS L'IMPRESSION DE VIVRE DANS L'OMBRE DE SUMMER...

TOUT LE MONDE EST FOU D'ELLE... D'ABORD TOMMY, ET MAINTENANT MILLIE !

QUELQUES JOURS AVANT NOËL
J'ORGANISERAIS BIEN CETTE ANNÉE UN RÉVEILLON AVEC NOS AMIS ET VOISINS !
M'MAN, TU FERAS UN CAKE AUX MARRONS À LA PLACE DE LA TRADITIONNELLE DINDE DE NOËL, HEIN ? JE SUIS DEVENUE VÉGÉTARIENNE MAINTENANT !

MAIS AVANT VOUS VIENDREZ TOUS VOIR LE SPECTACLE DE DANSE ? ÇA VA ÊTRE GÉNIAL !

LE LENDEMAIN AU LYCÉE.
C'EST QUOI CE CADEAU ?

LES CASIERS NE FERMENT PAS, ALORS TOUT LE MONDE PEUT LES OUVRIR !

WAOW ! C'EST MAGNIFIQUE !

T'AS OUBLIÉ LA CARTE QUI VA AVEC !

Un admirateur secret

JE N'AI AUCUNE IDÉE DE QUI ÇA PEUT ÊTRE !
C'EST TELLEMENT ROMANTIQUE !

C'EST PEUT-ÊTRE ZACK JONES ?
OU QUELQU'UN D'AUTRE !
SKYE, TU SAIS QUOI, ÇA ME FAIT COMME DES PAPILLONS DANS LE VENTRE, DE SAVOIR QUE QUELQU'UN... ENFIN, TU VOIS, QUOI... M'AIME BIEN !

JE CROYAIS QU'IL N'Y AVAIT QUE LA DANSE QUI T'INTÉRESSAIT ET SURTOUT PAS LES GARÇONS !
JE... JE SUIS JUSTE... CURIEUSE. TOI AUSSI, TU VOUDRAIS SAVOIR À MA PLACE !

SAUF QUE JE NE SUIS PAS À TA PLACE !
ÇA T'ARRIVERA UN JOUR. UN GARÇON TE FERA UN CADEAU AUSSI !

OUI, SUMMER A RAISON, ON GRANDIT À NOTRE RYTHME. C'EST CE QUE DISENT LES MAGAZINES. TU FINIRAS PAR T'INTÉRESSER AUX GARÇONS TOI AUSSI, SKYE !

MILLIE M'AGACE DE PLUS EN PLUS. GRANDIR CE N'EST PAS SEULEMENT METTRE DU GLOSS, PORTER DES CHAUSSURES À TALONS ET GLOUSSER DÈS QU'UN GARÇON S'APPROCHE !

MOI, JE SUIS AMOUREUSE EN SECRET DE QUELQU'UN D'INACCESSIBLE... COMMENT EST-CE QUE JE PEUX CRAQUER POUR UN FANTÔME, ALORS QUE JE N'Y CROIS MÊME PAS ?

ON DÉJEUNE ENSEMBLE, SUMMER ? COMME ÇA ON POURRA FAIRE LA LISTE DES GARÇONS QUI AURAIENT PU T'OFFRIR LE CADEAU !
C'EST PEUT-ÊTRE TOMMY ANDERSON !

ÇA VA PAS ! S'IL VOULAIT IMPRESSIONNER UNE FILLE, TOMMY OFFRIRAIT UN CHEWING-GUM QUI REND LA LANGUE BLEUE OU UNE BOULE PUANTE !
HI ! HI ! HI !

ÇA M'ÉNERVE... MILLIE S'ÉLOIGNE DE MOI. ET LE PAUVRE TOMMY ME FAIT PITIÉ... S'IL SAVAIT CE QUE SUMMER PENSE DE LUI !
HI ! HI ! HI !

WAOW !
ELLE EST TROP COOL
TA NOUVELLE CHAMBRE
DANS LE GRENIER !
CHARLOTTE ET PADDY
ONT ASSURÉ... ÇA SENT
ENCORE UN PEU
LA PEINTURE !

SKYE ? TU ES DANS
TES PENSÉES ?
ÇA VA ?
C'EST MOI QUE FINN
A EMBRASSÉE CETTE NUIT DANS
MON RÊVE OU CLARA TRAVERS ?
JE NE SAIS PLUS !

SKYE !!! ON A L'IMPRESSION QUE
TU T'ENFERMES DANS TON MONDE
EN CE MOMENT !
HEU... MA COPINE MILLIE EST
TOUJOURS AVEC SUMMER ET
SUMMER NE PENSE QU'À LA DANSE...
ALORS, HEU... ET... HEU...

... TU CROIS AUX
FANTÔMES ?

AUX
FANTÔMES ?
OUI, ENFIN, AUX ESPRITS...
QUI SURGISSENT DU PASSÉ !

TU SAIS CHERRY, EN CE MOMENT
JE FAIS DES RÊVES ÉTRANGES.
ON DIRAIT DES IMAGES VENUES
DU PASSÉ... À PROPOS DE GITANS
DANS LE BOIS... ÇA DOIT AVOIR UN
RAPPORT AVEC CLARA TRAVERS.
TU SAIS, LA FILLE QUI
AVAIT DISPARU...
CE NE SONT QUE
DES RÊVES, CE N'EST PAS
COMME SI TU AVAIS
VU UN FANTÔME !

OUI MAIS C'EST COMME
DANS LES FILMS. LES FANTÔMES
S'ATTARDENT PRÈS DES VIVANTS
POUR LES AIDER À DÉCOUVRIR
LA VÉRITÉ SUR LE PASSÉ. DU COUP,
JE ME POSE DES QUESTIONS !
TU NE CROIS QUAND
MÊME PAS QUE CLARA
CHERCHE À TE DIRE
QUELQUE CHOSE ?

... PAR... PAR EXEMPLE,
QU'ELLE NE S'EST PAS
SUICIDÉE ? QUE QUELQU'UN
L'A ASSASSINÉE ? ÇA FICHE
LA TROUILLE, LÀ !

NON, ÇA N'A RIEN D'EFFRAYANT NI DE SINISTRE, MAIS IL DOIT BIEN Y AVOIR UNE RAISON POUR QUE ÇA M'OBSÈDE AUTANT, NON ?

L'HISTOIRE DE CLARA A L'AIR DE T'AVOIR VRAIMENT MARQUÉE !
DIS, CHERRY... HEU... TU AS SU DÈS LE DÉBUT QUE SHAY TE PLAISAIT ?

NON ! JE LE TROUVAIS PRÉTENTIEUX, PÉNIBLE ET ARROGANT ET PUIS, C'ÉTAIT LE PETIT-AMI D'HONEY !

PUIS IL A ROMPU AVEC TA SŒUR ET J'AI APPRIS À LE CONNAÎTRE ET J'AI EU DES SENTIMENTS POUR LUI. LUI AUSSI. POURQUOI CETTE QUESTION ? TU ES AMOUREUSE DE QUELQU'UN... TOMMY ?

AH NON, PAS TOMMY ! CLAIREMENT PAS. NON, C'EST BEAUCOUP PLUS COMPLIQUÉ !

C'EST TOUJOURS COMPLIQUÉ, L'AMOUR !

PLUS TARD, DANS LA CHAMBRE DE SUMMER ET SKYE.
SKYE ! JE VIENS D'AVOIR UNE IDÉE GÉNIALE ! ON POURRAIT DEMANDER COMME CADEAU DE NOËL UNE FÊTE D'ANNIVERSAIRE, UNE VRAIE FÊTE POUR NOS TREIZE ANS. QU'EST-CE QUE TU EN PENSES ?

CE QUE J'EN DIS ? UN GÂTEAU ET UN CHOCOLAT CHAUD AU CHAPELIER FOU ME PLAIRAIENT BEAUCOUP PLUS QU'UNE BOUM RIDICULE OÙ LES FILLES POMPONNÉES SIROTENT DU SODA EN LORGNANT SUR DES GARÇONS BOUTONNEUX !

POUR MOI, UNE FÊTE SERAIT UNE VRAIE TORTURE, MAIS PAS POUR SUMMER APPAREMMENT !

LA VEILLE DE NOËL.

J'ADORE LES AMBIANCES DE THÉÂTRE !
SUMMER VA PEUT-ÊTRE DEVENIR UN JOUR UNE DANSEUSE ÉTOILE !
HONEY AURAIT PU VENIR, QUAND MÊME !

ELLE EST INCROYABLE !
JE SAIS !

J'AI INVITÉ POUR LE RÉVEILLON DE NOËL DEMAIN SOIR, TOMMY ET SES PARENTS.
QUOI ?

J'AURAIS PEUT-ÊTRE PU CONTINUER LA DANSE, MOI AUSSI, SI JE NE M'ÉTAIS PAS AUTANT SENTIE DANS L'OMBRE DE SUMMER !

JE VIENS DE ME RENDRE COMPTE QUE SUMMER EST DOUÉE, VRAIMENT TRÈS DOUÉE POUR LA DANSE !

BRAVO !

LE SOIR DU RÉVEILLON DE NOËL À TANGLEWOOD.

C'EST JOLI CETTE BARRETTE DANS TES CHEVEUX. TU L'AS EUE OÙ ?
C'EST UN AMI QUI ME L'A OFFERTE ! TU PEUX TE POUSSER UN PEU, T'ES DANS MES PATTES, LÀ !

TU AS ENTENDU ? SUMMER ME CONSIDÈRE COMME UN AMI PROCHE !
NE TE FAIS PAS TROP D'ILLUSIONS !
ELLE A DRESSÉ LA LISTE DE SES ADMIRATEURS POTENTIELS, ET TU N'ES PAS DEDANS !

PLUS TARD DANS LA SOIRÉE.

TOMMY ? QU'EST-CE QUE TU FAIS LÀ ?
JE GUETTE LES RENNES DU PÈRE NOËL ! ET TOI ?

LA FÊTE EST PRESQUE TERMINÉE, J'AVAIS ENVIE DE PRENDRE L'AIR ! ÇA VA, TOI ?
NON. JE SUIS INVISIBLE. J'AI VOULU EMBRASSER SUMMER SOUS LE GUI ET ELLE M'A ENVOYÉ BOULER !

ET TOI, SKYE, ÇA TE TENTE ? ÇA NOUS RÉCHAUFFERAIT UN PEU !
ÇA VA PAS ! MÊME SI ON EST SŒURS JUMELLES, JE NE SUIS PAS SUMMER !

TU NE PEUX PAS M'EMBRASSER À SA PLACE JUSTE PARCE QUE JE LUI RESSEMBLE !
C'EST SUMMER QUE TU AIMES, PAS MOI !

C'EST QUOI LEUR PROBLÈME, AUX GARÇONS ?
SI TOMMY CROIT QUE JE VAIS JOUER LES LOTS DE CONSOLATION, IL SE TROMPE ! POURQUOI EST-CE QUE JE PASSE TOUJOURS APRÈS SUMMER ?

POURQUOI JE DOIS ME CONTENTER DE SES RESTES ?
QUAND ON ÉTAIT PETITES, ELLE ME DONNAIT SES VIEUX JOUETS, MAINTENANT C'EST SES VERNIS À ONGLES, SES ÉCHARPES... ET SES PRÉTENDANTS !
OÙ EST PASSÉ TOMMY ?
MERCI POUR CET AGRÉABLE RÉVEILLON DE NOËL !

MOI, JE SUIS AMOUREUSE DE FINN !

Y A UN TRUC QUI NE COLLE PAS, MAIS JE N'ARRIVE PAS À TROUVER QUOI ! JE RÊVE PEUT-ÊTRE TOUT SIMPLEMENT DE CLARA PARCE QUE JE PORTE SON MANTEAU ? ET J'AURAIS INVENTÉ FINN... JE NE SAIS PLUS !

T'ÉTAIS OÙ ?
J'AVAIS BESOIN DE PRENDRE L'AIR !

LE LENDEMAIN MATIN, JOUR DE NOËL !

CES VIEILLES CHOSES ME FICHENT LA TROUILLE ! MOI, JE PRÉFÈRE AVOIR NOTRE FÊTE D'ANNIVERSAIRE !
LE GRAMOPHONE APPARTENAIT À CLARA TRAVERS, JE CROIS !
OH ! UN GRAMOPHONE !
CE PETIT AGNEAU A PERDU SA MAMAN, C'EST UNE PETITE FEMELLE QUI EST NÉE HIER CHEZ L'ÉLEVEUR D'À CÔTÉ !
IL EST TROP CHOU, MERCI ! MERCI !

UN PEU PLUS TARD.
COCO, PADDY A NETTOYÉ L'ANCIENNE REMISE DANS LE JARDIN, ÇA FERA UNE PETITE MAISON POUR TON AGNEAU !
JE VAIS L'APPELER JOYEUX NOËL !

Y A PAPA SUR SKYPE QUI VIENT NOUS SOUHAITER UN JOYEUX NOËL !

JOYEUX NOËL PAPA !

MES FILLES, VOUS AVEZ TELLEMENT GRANDI !
IL EST QUELLE HEURE EN AUSTRALIE, PAPA ?

C'EST LE SOIR... IL FAIT SUPER BEAU ! IL FAUDRA QUE VOUS VENIEZ ME VOIR LÀ-BAS UN JOUR !

JE MEURS D'ENVIE DE DÉCOUVRIR L'AUSTRALIE, C'EST SÛREMENT MIEUX QUE CE TROU... ON VIENDRA QUAND ?

ATTENDS UN PEU QU'ON SOIT BIEN INSTALLÉS, COMME ÇA TA MÈRE AURA LE TEMPS D'ÉCONOMISER POUR PAYER LES BILLETS ! BON LES FILLES, JE SUIS CONTENT DE VOUS AVOIR PARLÉ ! BYE !

IL A UNE COPINE, J'EN SUIS SÛRE, IL A DIT : «ON» !
IMPOSSIBLE, CE N'EST PAS SON GENRE !
SI MAMAN DOIT PAYER LES BILLETS D'AVION, C'EST PAS DEMAIN LA VEILLE QU'ON IRA LE VOIR !
IL N'A MÊME PAS TROUVÉ LE TEMPS DE NOUS ENVOYER UN CADEAU DE NOËL... ALORS QUE NOUS, ON LUI EN A ENVOYÉ UN !

DANS MES RÊVES, IL N'Y A NI FÊTE D'ANNIVERSAIRE À PRÉPARER, NI MEILLEURE AMIE OBSÉDÉE PAR LES GARÇONS, NI GRANDE SŒUR COLÉRIQUE...

... NI COPAIN AMOUREUX DE MA SŒUR JUMELLE SI PARFAITE... PAS ÉTONNANT QUE JE LES PRÉFÈRE À LA RÉALITÉ. LE MONDE Y EST BEAUCOUP MOINS STRESSANT !

UN PEU PLUS TARD DANS LA JOURNÉE.
SKYE ? TOUT VA BIEN ?
JE CHERCHE LES LETTRES DE CLARA !

TU ES SÛRE DE NE PAS LES AVOIR VUES ?
J'EN SAIS RIEN ! PEUT-ÊTRE QUE MAMAN LES A JETÉES ?

FRANCHEMENT TU NE PENSES PLUS QU'À ÇA ! VIENS AVEC NOUS EN BAS, C'EST LA SOIRÉE DU RÉVEILLON, ON VA REGARDER UN FILM. MAMAN A PRÉPARÉ DU POP-CORN !

31 DÉCEMBRE
À MINUIT.

ALLEZ ON RENTRE, IL FAIT FROID !
BONNE ANNÉE !
JE VAIS VOUS JOUER DU VIOLON !

HONEY N'EST PAS ENCORE RENTRÉE ?
NON, ELLE A LA PERMISSION D'UNE HEURE !
ARGH !

BON, MA RÉSOLUTION POUR CETTE ANNÉE, C'EST DE PRENDRE DES COURS DE VIOLON AVEC PADDY !
OUI, ET ON A INTÉRÊT À COMMENCER DÈS DEMAIN !

PLUS TARD
APRÈS MINUIT.
OH NON ! COCO RECOMMENCE AVEC SON SATANÉ VIOLON !
C'EST HORRIBLE ! FAUT QUE ÇA S'ARRÊTE !

SUMMER ! C'EST QUOI LÀ... SOUS TON OREILLER ?

LES LETTRES ! TU M'AVAIS JURÉ QUE TU NE LES AVAIS PAS VUES !

JE... JE NE VOULAIS PAS LES GARDER, C'EST JUSTE DE LA CURIOSITÉ. TU ES TELLEMENT OBSÉDÉE PAR CETTE IDIOTE DE CLARA TRAVERS ! IL N'Y A QUE ÇA QUI T'INTÉRESSE !

POURQUOI TU M'AS MENTI ?
J'ÉTAIS INQUIÈTE !

TU AS CHANGÉ DEPUIS QUE TU AS RÉCUPÉRÉ CES VIEUX TRUCS. J'AI LA TROUILLE, SKYE ! J'AI PRIS LES LETTRES PARCE QUE JE ME FAIS DU SOUCI POUR TOI... TU ME FAIS PEUR AVEC TES RÊVES.

AVANT, ON N'AVAIT JAMAIS DE SECRET L'UNE POUR L'AUTRE !
AVANT, TU NE ME MENTAIS PAS !

OK, JE N'AURAIS PAS DÛ GARDER LES LETTRES. MAIS ON DIRAIT QUE TU T'INTÉRESSES PLUS À CLARA QU'À MOI. TU AS L'ESPRIT OCCUPÉ PAR UNE FILLE QUI EST MORTE DEPUIS CENT ANS ! ÇA M'ÉNERVE !

AVANT, TU M'ÉCOUTAIS, TU AVAIS BESOIN DE MOI...
OUAIS C'EST ÇA. LA SEULE CHOSE QUI COMPTE, C'EST CE QUE SUMMER VEUT ET CE DONT SUMMER A BESOIN !

J'AI UN MAUVAIS PRESSENTIMENT, À PROPOS DE CETTE HISTOIRE, DE CES LETTRES... ET PUIS MOI AUSSI, J'AI FAIT UN RÊVE !
QUEL GENRE DE RÊVE ?

C'ÉTAIT HORRIBLE, J'AI RÊVÉ DE CLARA TRAVERS. ELLE PORTAIT SON MANTEAU VERT, ELLE COURAIT DANS LES BOIS EN PLEURS. JE LA VOYAIS DE DOS... ELLE CHERCHAIT QUELQU'UN... ET QUAND ELLE A TOURNÉ SON VISAGE, C'ÉTAIT PAS CLARA, C'ÉTAIT TOI !

... ENSUITE LE DÉCOR A CHANGÉ, TU ÉTAIS SOUS L'EAU ET TU TE NOYAIS... SKYE... C'ÉTAIT VRAIMENT FLIPPANT !

MAIS CE N'EST PAS RÉEL, SUMMER ! C'EST JUSTE UN CAUCHEMAR !
ÇA AVAIT L'AIR VRAI !

ON AURAIT DIT UN MAUVAIS PRÉSAGE... ET SI CLARA T'EN VOULAIT DE PORTER SES ROBES, HEIN ? ET SI ELLE ÉTAIT MORTE DANS LE MANTEAU VERT ET ESSAYAIT DE TE POUSSER À L'IMITER ?

ET SI SUMMER AVAIT RAISON ? JE SUIS PEUT-ÊTRE EN DANGER ?

CLARA NE PORTAIT PAS SON MANTEAU VERT QUAND ELLE EST MORTE... SINON IL N'AURAIT PAS ÉTÉ DANS LA MALLE !
OUI, SANS DOUTE... SKYE, TU RÊVES ENCORE DE CLARA ?

JE NE PEUX PAS LUI DIRE QUE TOUTES LES NUITS JE SUIS CLARA TRAVERS...

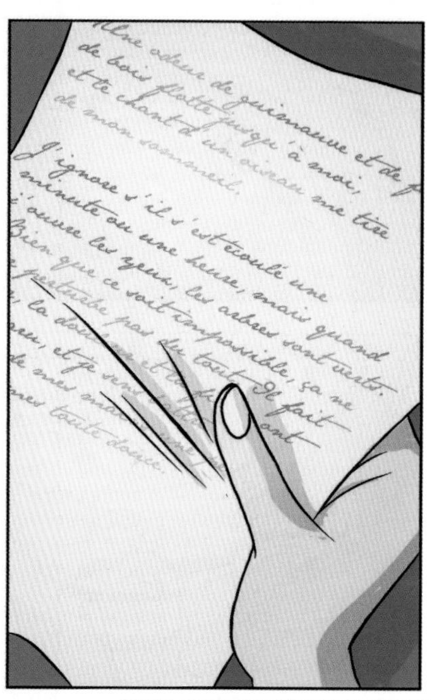
de bois flotte jusqu'à moi,
et le chant d'un oiseau me tire
de mon sommeil.
J'ignore s'il s'est écoulé une
minute ou une heure, mais quand
j'ouvre les yeux, les arbres sont verts.
Bien que ce soit impossible, ça ne
me perturbe pas du tout. Il fait

EN PLEINE NUIT.
CE SONT DES LETTRES QUE SON FIANCÉ HARRY A ÉCRITES... JE COMPRENDS POURQUOI CLARA NE VOULAIT PAS SE MARIER AVEC LUI... IL AVAIT L'AIR AUTORITAIRE ET TRÈS CHIANT !

JE PENSAIS QUE CES LETTRES M'AIDERAIENT À COMPRENDRE... EN RÉALITÉ, LE MYSTÈRE NE FAIT QUE S'ÉPAISSIR. LA PAUVRE CLARA. SI ELLE AVAIT ÉPOUSÉ CE HARRY... ELLE AURAIT ÉTÉ COMME UN OISEAU EN CAGE !

JE DOIS DÉCOUVRIR QUI EST FINN ET POURQUOI IL HANTE MES NUITS...

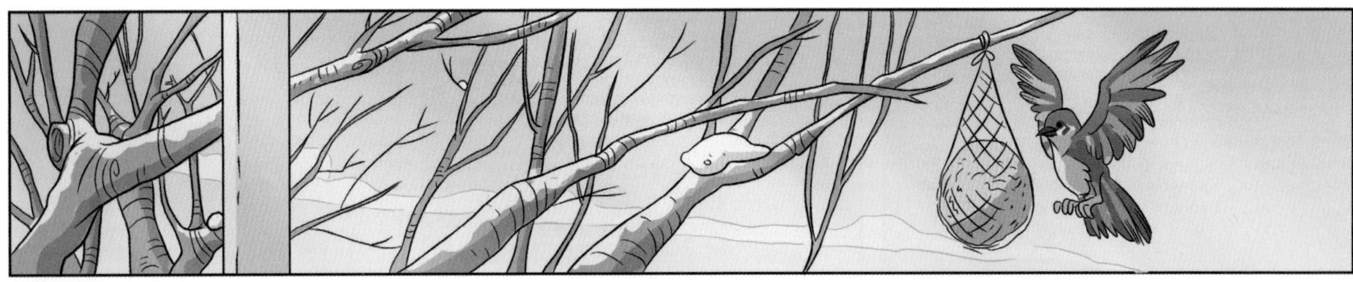

AUJOURD'HUI, NOUS ALLONS FAIRE UN QUIZ, POUR PROUVER QUE L'HISTOIRE PEUT ÊTRE AMUSANTE !

VOUS ALLEZ DEVENIR DES DÉTECTIVES DU TEMPS. IL Y A DES TAS DE FAÇONS DE DÉVOILER LES SECRETS DU PASSÉ. LES LIVRES, LES LETTRES, LES PHOTOS, LES TABLEAUX...

DÉTECTIVE DU PASSÉ... C'EST TOUT MOI EN CE MOMENT !

VOICI LES QUESTIONS DU QUIZ : QUI ÉTAIT GUILLAUME LE CONQUÉRANT ? QU'EST-CE QU'UN PALÉONTOLOGUE ?
YES ! SI QUELQU'UN PEUT M'AIDER À DÉMÊLER LE VRAI DU FAUX DANS L'HISTOIRE DE CLARA, C'EST BIEN LE PROF D'HISTOIRE !

HEU, MONSIEUR... JE PEUX VOUS POSER UNE QUESTION ?

HEU... IL Y A UNE HISTOIRE DE FANTÔMES DANS MA FAMILLE ET J'AIMERAIS EN SAVOIR PLUS, MAIS JE NE SAIS PAS OÙ CHERCHER, NI À QUI M'ADRESSER...

TU DEVRAIS ALLER AU MUSÉE, CONSULTER LES ARCHIVES. IL Y AURA PEUT-ÊTRE QUELQUE CHOSE LIÉ À TON HISTOIRE DE FANTÔMES !

PLUS TARD.
APRÈS LES COURS.
MUSEE

BONJOUR... HEU... JE CHERCHE DES INFORMATIONS SUR QUELQU'UN QUI VIVAIT ICI, À KITNOR, DANS LES ANNÉES 1920...

OH, TU ES UNE DES FILLES AU CHOCOLAT ! JE VOUS AI VUES, TOI ET TES SŒURS, DANS LE JOURNAL. MON FIANCÉE M'A OFFERT UNE BOÎTE DE VOS DÉLICIEUX CHOCOLATS !

SUIS-MOI, ON VA REGARDER DANS LA SALLE DES ARCHIVES DANS LES REGISTRES PAROISSIAUX.

TU AS LE NOM DE FAMILLE DE LA PERSONNE ?
HEU... CLARA TRAVERS !

ELLE EST MORTE À DIX-SEPT ANS EN 1926, MAIS IL N'Y A PAS D'ACTE DE DÉCÈS ET ENCORE MOINS DE MARIAGE...
ET VOUS POUVEZ AVOIR DES INFORMATIONS SUR UN GITAN QUI VIVAIT À CETTE ÉPOQUE ? J'AI JUSTE SON PRÉNOM, FINN !

J'EN DOUTE... LES GITANS VIVAIENT À L'ÉCART DE LA SOCIÉTÉ.
GRACE... JE SUIS LÀ !
ÉCOUTE, JE VAIS ME RENSEIGNER !

OH ! MON FIANCÉ VIENT D'ARRIVER !
ALORS C'EST ELLE LA FAMEUSE FIANCÉE DU PROF !
AH ! SKYE... ALORS TU AS SUIVI MES CONSEILS !

QUELQUES JOURS PLUS TARD.
ET VOILÀ, LA SALLE POLYVALENTE EST RÉSERVÉE POUR LE JEUDI 14 FÉVRIER À PARTIR DE VINGT HEURES... ÇA VA ÊTRE LA PLUS BELLE FÊTE D'ANNIVERSAIRE, LES FILLES !
GÉNIAAAL !

JE PEUX INVITER TOUS LES ÉLÈVES DE LA CLASSE ? ET TOUTES LES FILLES DE L'ÉCOLE DE DANSE ?

ET DES GARÇONS DU LYCÉE AUSSI ?

SKYE ? ÇA TE PLAÎT ? C'EST AUSSI TA FÊTE !
OUAIS... ON POURRAIT PROPOSER UN THÈME VINTAGE !

AH NON ! T'ES VRAIMENT OBSÉDÉE PAR LE PASSÉ. ET SI ON FAISAIT UN THÈME ST-VALENTIN ?
NOOON !

TROUVEZ UN COMPROMIS, LES FILLES... MOI JE VOUS PROPOSE LE THÈME : ST-VALENTIN VINTAGE !
SHAY POURRA FAIRE LE DJ !

J'AI HÂTE ! J'AI HÂTE !

BON, IL FAUT QUE JE PARLE À HONEY, SES NOTES SONT EN CHUTE LIBRE. SI ÇA CONTINUE COMME ÇA, JE VAIS DEVOIR L'ENVOYER EN PENSION !

J'AI HÂTE D'ÊTRE
À TA FÊTE, SUMMER...
POUR EMBRASSER
UN GARÇON !
TU NE PEUX PAS EMBRASSER
N'IMPORTE QUI, HISTOIRE DE DIRE
QUE TU L'AS FAIT !
SKYE !
TU VAS OÙ ?

JE VAIS AU MUSÉE,
JE CHERCHE DES INFOS
SUR L'HISTOIRE DE
CLARA TRAVERS !
COOL,
JE T'ACCOMPAGNE !

SKYE, J'AI TROUVÉ
DES CHOSES
SUR CLARA !
OH ! SUPER !

CLARA AVAIT DEUX FRÈRES, CHARLES
ET ROBERT, TOUS DEUX TUÉS PENDANT
LA SECONDE GUERRE MONDIALE.
KATE TRAVERS, TA GRAND-MÈRE,
ÉTAIT LA FILLE UNIQUE DE
ROBERT !

ALORS,
CLARA ÉTAIT... MON
ARRIÈRE-GRAND-
TANTE ?
EXACTEMENT ! MAIS
JE N'AI RIEN TROUVÉ SUR UNE
PERSONNE S'APPELANT FINN !

PAR CONTRE, J'AI UNE LETTRE
QUI DISAIT QUE LE PÈRE DE CLARA
AVAIT CHASSÉ DES GITANS
DE SES TERRES !
ALORS C'EST VRAI...
L'HISTOIRE QUI SE RACONTE
DANS LA FAMILLE !

J'AIMERAIS TELLEMENT
SAVOIR QUI ÉTAIT CE FAMEUX
GITAN, FINN, DONT CLARA
ÉTAIT ÉPERDUMENT
AMOUREUSE !
ET SI TU DEMANDAIS
À MME LEE, LA POSTIÈRE ?
ELLE RACONTE TOUT LE TEMPS
QU'ELLE DESCEND D'UNE
FAMILLE DE GITANS !

TU ES UN GÉNIE,
TOMMY ! VIENS, ON Y VA
MAINTENANT ! MERCI
GRACE !

FRANCHEMENT, TU NE PRÉFÈRES PAS UN CHOCOLAT CHAUD AVEC DES CHAMALLOWS ?

BONJOUR SKYE ! ALORS TU VIENS ME PRÉSENTER TON AMOUREUX ?
NON, NON... TOMMY N'EST PAS MON AMOUREUX, OUH LÀ LÀ ! HEUREUSEMENT !

JE SUIS VRAIMENT SI HORRIBLE QUE ÇA ? T'ES PAS OBLIGÉE D'ÊTRE MÉCHANTE, SKYE !

HEU, JE VOULAIS VOUS DEMANDER QUELQUE CHOSE. JE FAIS DES RECHERCHES SUR UN GITAN, ET COMME VOUS AVEZ DES ANCÊTRES GITANS... JE ME DEMANDAIS... HEU...
OUI, MA MÈRE ÉTAIT À MOITIÉ GITANE...

ELLE EST NÉE DANS UNE ROULOTTE. ELLE EST MORTE DEPUIS QUELQUES ANNÉES MAINTENANT. J'AI ENCORE QUELQUES PHOTOS. JE POURRAIS TE LES MONTRER SI TU VEUX !

OUI JE VEUX BIEN, JE... J'ESSAYE DE TROUVER LA TRACE D'UN CERTAIN FINN. CE NOM NE VOUS DIT RIEN PAR HASARD ?
NON... JE NE VOIS PAS !

LAISSE TOMBER TON HISTOIRE ANCIENNE. VIS TA VIE !

MA MÈRE A ENCORE DES FRÈRES ET DES SŒURS EN VIE... JE LEUR DEMANDERAI S' ILS NE CONNAISSAIENT PAS UN CERTAIN FINN !
OH ! C'EST VRAIMENT TRÈS GENTIL ! MERCI MADAME LEE !

PREMIER JOUR
DES VACANCES
DE FÉVRIER.

TU PENSES
À QUOI ?
À RIEN !

JE NE PEUX PAS LUI DIRE
QUE JE PENSE AUX GITANS QUI
ONT DÛ PARTIR PRÉCIPITAMMENT
UN MATIN DE FÉVRIER, À CAUSE
DU PÈRE DE CLARA !

BATAILLE DE BOULES
DE NEIGE !!!
ON VOUS
ATTEND DEHORS !

SKYE ! TÉLÉPHONE
POUR TOI... C'EST
TOMMY !
OUH !
LES AMOUREUX !!!
OH !
ÇA VA, COCO...
TU M'ÉNERVES !

NE RESTE PAS TROP LONGTEMPS...
IL Y A UNE DOCUMENTALISTE DE LA BBC
QUI A VU L'ARTICLE SUR NOUS. ELLE FAIT
DES RECHERCHES POUR UN FEUILLETON
HISTORIQUE SUR KITNOR. ELLE VOUDRAIT
DES INFOS SUR LA ROULOTTE
QU'ELLE A VUE DANS
LE MAGAZINE.
ELLE
DOIT ME
RAPPELER.
... LA...
LA ROULOTTE
DES GITANS ?

SALUT TOMMY !
OUAIS, J'VEUX BIEN FAIRE
DE LA LUGE CET APRÈM !
OK, À TOUT' !

DANS L'APRÈS-MIDI.

JE N'AVAIS JAMAIS REMARQUÉ QUE TOMMY ANDERSON AVAIT DE MAGNIFIQUES YEUX COULEUR CHOCOLAT... DÈS QU'IL A CARESSÉ MA JOUE, LES BATTEMENTS DE MON CŒUR SE SONT MIS À S'ACCÉLÉRER... ÇA FAIT BIZARRE. C'EST PAS DÉSAGRÉABLE COMME SENSATION. MAIS FINN FAIT BATTRE MON COEUR BIEN PLUS VITE QUE TOMMY NE LE POURRA JAMAIS.

LE 14 FÉVRIER, MATIN DE LA FÊTE D'ANNIVERSAIRE.
BON ANNIVERSAIRE, LES JUMELLES !
OH ! MERCI COCO !

JE VOUS AI CRÉÉ DES BONBONS PERSONNALISÉS " CŒUR GUIMAUVE " POUR SKYE ET " CŒUR MANDARINE " POUR SUMMER !

PADDY, C'EST TROP SYMPA... J'ADORE LA GUIMAUVE !
JE ME SUIS INSPIRÉ DE VIEILLES RECETTES À BASE DE RACINE DE MAUVE ET D'EAU DE ROSE !

HAPPY BIRTHDAYYYYY !
POURQUOI TU PORTES ENCORE CETTE ROBE ET CE CHÂLE DE CLARA ? TU SAIS TRÈS BIEN CE QUE J'EN PENSE, SKYE !
J'AI LE DROIT DE M'HABILLER COMME JE VEUX POUR MON ANNIVERSAIRE, NON ?

UN PEU PLUS TARD DANS LA SOIRÉE.
J'AI DEMANDÉ À SHAY DE PASSER DES SLOWS ! JE VAIS INVITER SUMMER !
BONNE CHANCE !

ON DANSE ?

QUINZE MINUTES PLUS TARD...
JE CROYAIS QUE TOMMY ÉTAIT AMOUREUX DE TOI ?
POURQUOI TU DIS ÇA ?

C'EST DÉGOÛTANT !
J'AI LES JAMBES QUI TREMBLENT... JE DEVRAIS ME RÉJOUIR POUR TOMMY ET MILLIE, MAIS BIZARREMENT JE ME SENS ENCORE PLUS SEULE QU'AVANT !

ON DIRAIT QUE TU AS RATÉ TA CHANCE ! ILS VONT BIEN ENSEMBLE, TU NE TROUVES PAS ?

J'AI ENVIE DE VOMIR !

FINN ???

IL EST RÉEL OU PAS ? JE NE SAIS PLUS !

JE DÉLIRE COMPLÈTEMENT...

C'EST QUOI CETTE LETTRE ?

J'AI FROID... J'ME SENS PAS BIEN...

LE LENDEMAIN.
C'EST L'ODEUR DE GUIMAUVE QUI M'A RÉVEILLÉE. SUMMER, J'AI ENCORE FAIT CE RÊVE... CLARA... !
TU NOUS A SURTOUT FAIT PEUR, HIER, TU SAIS !

SKYE, QUAND ON T'A RETROUVÉ DANS LA NEIGE HIER, TU TENAIS CETTE LETTRE À LA MAIN ! C'EST CLARA QUI L'A ÉCRITE !
OUI, JE L'AI TROUVÉE DANS LA DOUBLURE DU MANTEAU, LA POCHE ÉTAIT TROUÉE !

AAATCHOUM ! ET J'AI ATTRAPÉ UN BON RHUME !
JE L'AI LUE... TU AS RÉSOLU LE MYSTÈRE, TU SAIS !

C'EST VRAI ?
HARRY, LE FIANCÉ DE CLARA N'A JAMAIS DÛ RECEVOIR CETTE LETTRE. ELLE LUI EXPLIQUE QU'ELLE NE L'AIME PAS, MAIS QU'ELLE EST ÉPERDUMENT AMOUREUSE D'UN GARÇON GITAN QUI S'APPELLE SAM...

SAM ?... MAIS... DANS MES RÊVES, IL S'APPELAIT FINN ?
CLARA NE S'EST PAS SUICIDÉE, ELLE ÉCRIT QU'ELLE ATTEND UN ENFANT DE SAM. QU'ELLE VA S'ENFUIR AVEC LUI POUR SE MARIER. ELLE EST HEUREUSE... ET ELLE SAIT QU'ELLE VA FAIRE SOUFFRIR SA FAMILLE.

JE... JE NE COMPRENDS PAS, CETTE HISTOIRE DE SUICIDE ?
ELLE A ÉTÉ INVENTÉE POUR PRÉSERVER L'HONNEUR DE LA FAMILLE. TU IMAGINES, LA FILLE D'UN HOMME RICHE QUI TOMBE ENCEINTE SANS ÊTRE MARIÉE ET QUI S'ENFUIT AVEC LE PÈRE... UN GITAN...

OUI, LA FAMILLE A PRÉFÉRÉ SE TAIRE ET CACHER DANS UNE MALLE LES AFFAIRES DE CLARA !
SKYE, C'ÉTAIT ÉCRIT... TES RÊVES... TU ÉTAIS DESTINÉE À TROUVER LA LETTRE POUR FAIRE ÉCLATER LA VÉRITÉ !

TU ÉTAIS SI LOIN, DEPUIS QUELQUES MOIS... J'AI ÉTÉ ANGOISSÉE ET ÉGOÏSTE. J'AI ÉTÉ NULLE !

QUELQUES JOURS PLUS TARD.

MAIS JE N'AI TOUJOURS PAS COMPRIS CE QUE FINN VENAIT FAIRE DANS MES RÊVES... L'AMOUREUX DE CLARA NE LUI RESSEMBLAIT PAS. PEUT-ÊTRE QUE C'EST SIMPLEMENT LE PORTRAIT QUE JE ME FAISAIS D'UN JEUNE ET BEAU GITAN ? OUI, C'ÉTAIT SANS DOUTE UNE ILLUSION, UN MIRAGE AUQUEL JE M'ACCROCHE EN ATTENDANT D'ÊTRE PRÊTE À VIVRE UNE VRAIE HISTOIRE ? QUI SAIT ?

QUINZE JOURS PLUS TARD.
JE COMMENCE À M'HABITUER AU FAIT QUE SUMMER SORTE AVEC ZACK. PAR CONTRE MILLIE NE VEUT PLUS DE TOMMY. ELLE A EU SON PREMIER BAISER... PAUVRE TOMMY QUI EST TOUJOURS AMOUREUX DE SUMMER !

BONJOUR. JE SUIS NIKKI, LA DOCUMENTALISTE. J'AI RENDEZ-VOUS AVEC VOTRE MÈRE !

AH ! OUI. VOUS VENEZ POUR LE REPÉRAGE, C'EST ÇA ?
OUI. NOUS ALLONS TOURNER UN FILM HISTORIQUE BASÉ SUR LA VIE DES GITANS QUI VIVAIENT ICI IL Y A QUELQUES ANNÉES, ET VOTRE ROULOTTE NOUS INTÉRESSE !

VOTRE MÈRE M'A RACONTÉ AU TÉLÉPHONE L'HISTOIRE DE VOTRE ANCÊTRE CLARA TRAVERS. C'EST PASSIONNANT !
OH ! OUI !

À BIENTÔT ALORS !

UNE DEMI-HEURE PLUS TARD.
FRED... VIENS, ON RENTRE !
HEU... SALUT !

JE CROIS QUE NIKKI EST CHEZ VOUS. JE DOIS LA REJOINDRE. C'EST MA MÈRE !
AH... OUI... ELLE EST DANS LA MAISON...

JE M'APPELLE JAMIE... JAMIE FINN !

FINN ! ALORS... C'EST LUI LE GARÇON DE MES RÊVES !

Les fondants au chocolat et aux mini-Chamallows de Skye

Il te faut :

- une tablette de chocolat au lait
- deux poignées de mini-Chamallows ou de gros Chamallows que tu auras préalablement découpés en morceaux
- 6 biscuits sablés en morceaux
- quelques raisins secs (facultatif)

1 : Fais fondre le chocolat au bain-marie.

2 : Lorsqu'il est fondu, laisse-le refroidir un peu, puis ajoute les autres ingrédients en mélangeant bien (attention de ne pas trop écraser les morceaux de biscuits).

3 : Verse ce mélange dans un moule recouvert de papier cuisson, lisse la surface et place le tout au réfrigérateur pendant quelques heures.

4 : Quand le fondant a pris, démoule-le sur un plat, coupe-le en petits carrés et déguste-le avec une bonne tasse de chocolat chaud.

Partage-les avec ta famille et tes amis… ou dévore tout !

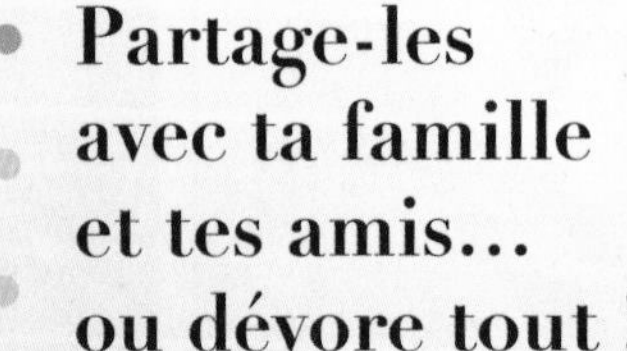

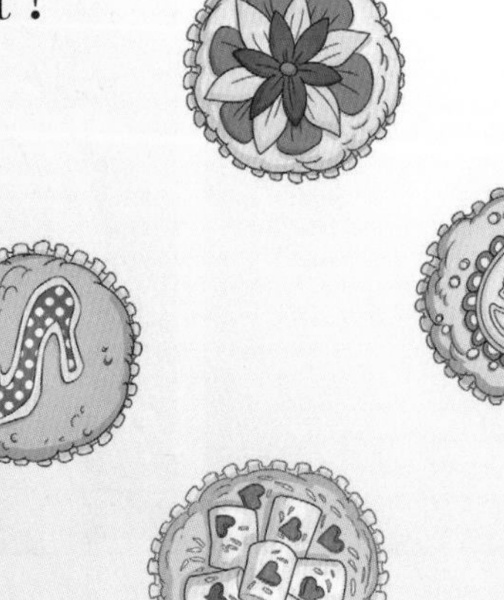

Cherry Costello

Timide, sage, toujours à l'écart elle a parfois du mal à distinguer le rêve de la réalité.
13 ans

Née à Glasgow
Mère : Kiko
Père : Paddy

Skye Tanberry

Avenante, excentrique, indépendante et pleine d'imagination.
12 ans

Soeur jumelle de Summer
Née à Kitnor
Mère : Charlotte
Père : Greg